C0-ANC-001

Dans les collections Cuisines des pays de France
et Cuisines des pays du monde

La cuisine à la plancha
La cuisine au wok
La cuisine auvergnate
La cuisine aveyronnaise
La cuisine basque
La cuisine bordelaise
La cuisine catalane
La cuisine charentaise
La cuisine chinoise et vietnamienne
La cuisine corse
La cuisine de la tomate
La cuisine de l'été
La cuisine des bistrots
La cuisine des cakes
La cuisine des coquilles Saint-Jacques
La cuisine des crêpes et des galettes
La cuisine des gourmands
La cuisine des îles
La cuisine des moules
La cuisine des pâtes
La cuisine des placards
La cuisine des poissons, coquillages et crustacés
La cuisine des Pyrénées
La cuisine des salades
La cuisine des soupes
La cuisine des tapas
La cuisine du barbecue
La cuisine du canard et de l'oie
La cuisine du gibier
La cuisine du jardin
La cuisine du pain
La cuisine du Périgord
La cuisine espagnole
La cuisine grecque
La cuisine indienne
La cuisine italienne
La cuisine landaise
La cuisine marocaine
La cuisine minceur
La cuisine portugaise
La cuisine provençale
La cuisine savoyarde
La cuisine tunisienne
La cuisine végétarienne
Les desserts du Sud-Ouest
Ris, cœurs, foies et autres abats
Verrines et cuillères

Ce livre a été imprimé par Loire Offset Titoulet à Saint-Étienne (42), France.
La photogravure est de Labogravure Image à Bordeaux, France.
ISBN : 978-2-87901-892-8 – Éditeur : 24966.02.05.08.10

Francine Claustres
Photographies de Bernard Claustres

La cuisine catalane

ÉDITIONS SUD OUEST

Introduction

C'est dans un lumineux pays, où chaque période de l'année apporte un sourire, que la cuisine catalane s'épanouit. Cuisine populaire, de tradition, de saison et de saints.
C'est une cuisine à visages multiples, paysanne ou montagnarde, dévote à l'occasion, amicale souvent.
Cuisine de tradition et d'amitié avec « la cargolade des jours frais », où l'on fait griller en plein air des escargots, que l'on roule, avant de les consommer, dans « l'ail y oli », qui sera suivie d'une « cousteillade » composée de côtes d'agneau ou de mouton, ou de saucisses du pays, le tout arrosé de vins généreux et ensoleillés, bus au porró ; où dame tramontane est la bienvenue.
Dévote à Pâques, lorsque la fleur d'oranger et le citron parfument bunyettes et bugnols que l'on mangera en ce jour du renouveau, tandis qu'un vent léger secouera les branches de l'immense verger catalan.
L'été, lorsque le soleil est roi et la lumière pure, sur un feu de pommes de pin et de bois de tamaris, les pêcheurs, sur un coin de plage, font bouillir la bullinada qui peut rivaliser allégrement avec la célèbre bouillabaisse provençale.
Les vergers donnent alors en abondance leurs fruits les plus sucrés et les plus parfumés, les jardins des légumes gorgés d'arômes et de soleil.
Des pannelets de la Toussaint aux châtaignes grillées du Vallespir, aux tourons de Noël, se déroule gourmande et rituelle la tradition catalane.

CI-CONTRE
Vaste région viticole dans les environs de Navacelles.

Quelques spécialités gourmandes catalanes.

Autrefois la « Matança del porc » (abattage d'un cochon) précédait la nuit sainte.
Quand des clochers ajourés s'élevait vers le ciel clouté d'étoiles le son des cloches, « l'escudella de Nadal » frémissait dans les marmites.
La cuisine catalane toujours basée sur le respect des traditions a de tout temps été raffinée, même dans les plats les plus simples. C'est certainement, la plus originale des cuisines méditerranéennes, elle ne cesse de s'améliorer, aidée par les ressources d'un terroir d'une rare générosité et d'une infinie variété.
Il faut aussi, pour compléter sa culture gastronomique, essayer les préparations des chefs contemporains, originales souvent mais toujours dans la bonne note de cet attachant pays, où vins fruités et capiteux se marient avec un rare bonheur aux nourritures les plus nobles.

Spécialités catalanes

Les spécialités catalanes se transmettent en secret de génération en génération.

Il faut, pour les goûter pleinement, les savourer sur place ou les emporter.

Difficiles à réaliser, les essais familiaux sont rarement couronnés de succès.

Anchois de Collioure salés, ou macérés dans de l'huile d'olive, olives naturelles ou farcies.

Les charcuteries sont reines dans ce pays, pensons à l'étymologie du vocable « Cerdagne ».

Tourons de Perpignan, infiniment variés, au caramel, aux noisettes, aux pignons, aux fruits confits, au miel et aux amandes, etc.

Bunyols sucrés ou fourrés de crème, bunyettes, cocs de Puicerda, croquants de Saint-Paou, rousquilles d'Amélie-les-Bains, les pannelets qui se mangent à la Toussaint (aux fruits confits, au chocolat, aux pignons, ou aux amandes, etc.).

Voilà pour les plus courantes et il y en a, j'en suis sûre, beaucoup d'autres...

Le vignoble du Roussillon

Dans cette province la plus méridionale de France, des marins grecs ont, quelques siècles avant notre ère, planté la vigne.

Le vignoble roussillonnais couvre essentiellement des coteaux, abandonnés un temps aux plantes odoriférantes, il descend parfois jusqu'au bord de la mer.

Sous un climat aux humeurs fantasques, parfois violentes, le raisin mûrit grâce à un soleil qui ne lui fait jamais défaut.

Les sols caillouteux, très peu fertiles, permettent à la vigne de donner des vins de grande qualité, très différents selon le terroir.

La terre rouge du Roussillon est le berceau d'élection des grands vins doux naturels; ils sont le

Élevage du vin de Maury au soleil.

produit de quatre cépages nobles : grenaches, macabéo, muscats et malvoisie.
La vinification des vins doux naturels est caractérisée par l'opération du mutage, qui consiste à mettre de l'alcool sur le moût pour arrêter la fermentation et conserver une partie des sucres.
Ils sont élevés selon les traditions anciennes, dans des foudres ou des demi-muids, ou mis en bonbonnes et exposés en plein soleil.
Appellation d'origine contrôlée : rivesaltes, muscat-de-rivesaltes, banyuls et banyuls grand cru, maury.

Rivesaltes : à la robe ambrée ou rouge tuilé, est surtout un vin d'apéritif et de dessert.

Muscat-de-rivesaltes : de couleur claire, mordorée parfois, souvent servi au dessert ou à l'apéritif, s'harmonise avec le fromage de Roquefort, le bleu de Bresse et le bleu d'Auvergne.

Banyuls et banyuls grand cru : de teinte rubis, parfois acajou, se boit à l'apéritif; superbe sur le foie gras et les fromages.

Maury : rubis foncé, généreux à l'apéritif, parfait sur les foies gras ; et tous les desserts au chocolat.

Le Roussillon, produit également d'excellents vins de table épicés et aromatiques, qui sont les dignes compagnons de la cuisine locale.

Côtes-du-roussillon et côtes-du-roussillon-villages : le vignoble, souvent en terrasse, en pente parfois, au sol très aride, donne une production de grande qualité, des vins rouges fruités et généreux, des vins blancs frais et légers, des rosés corsés et fruités.

Collioure : A.O.C. limitée à quatre communes seulement, Collioure, Port-Vendres, Banyuls et Cerbère. Vin rouge chaud, très aromatique, vieilli uniquement en fût de chêne, produit par des vignes disposées en étroites terrasses.

À découvrir : des vins de table ensoleillés et parfumés.

EN PAGES SUIVANTES

Minerve
et ses vignobles.

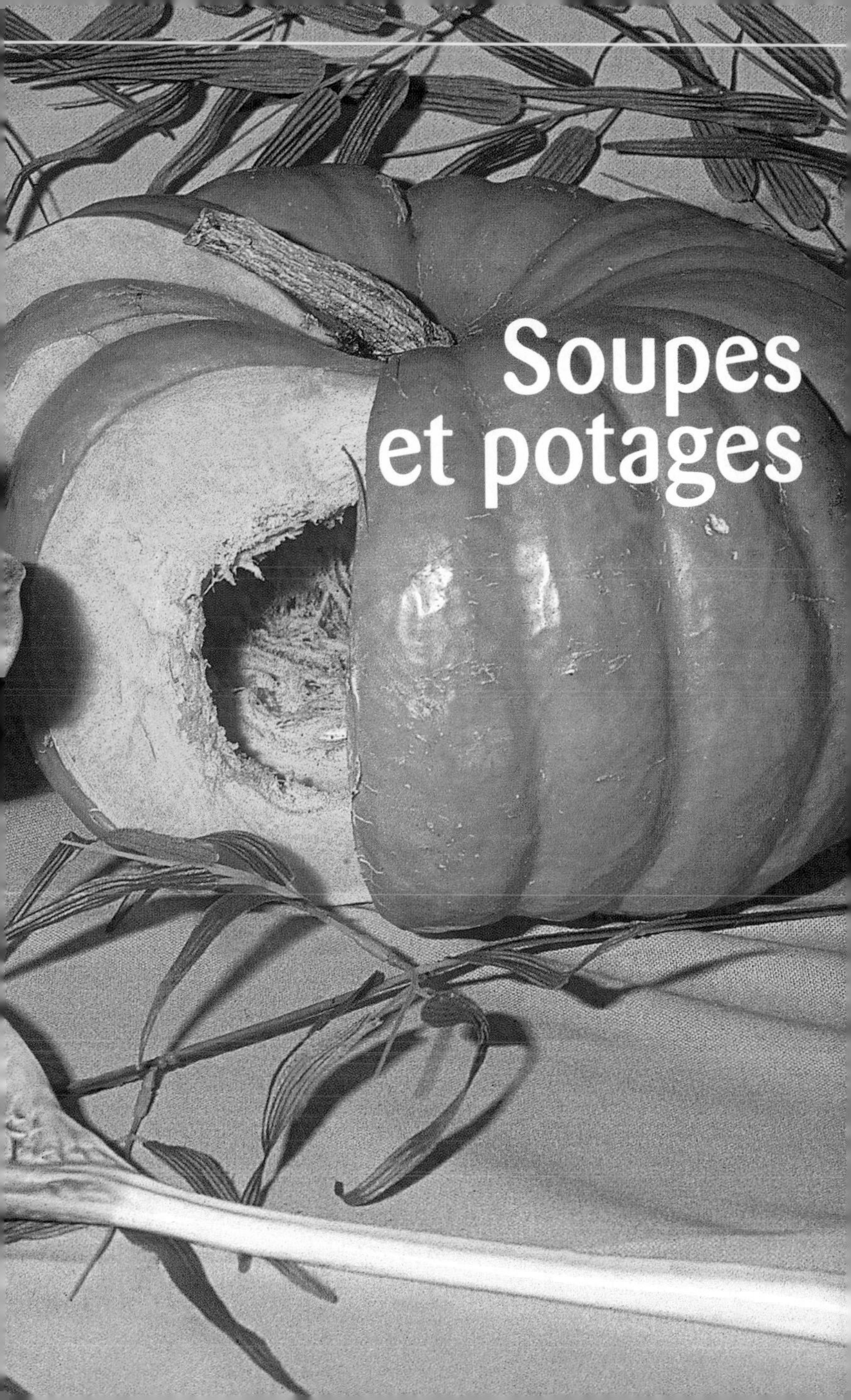

Soupes et potages

Soupe au thym

Pour 6 personnes

- 1,5 l d’eau
- 5 gousses d’ail
- 1 branche de thym
- 2 œufs
- sel et poivre
- pain de campagne
- 3 cuillères à soupe d’huile

Porter l’eau à ébullition, saler, poivrer, ajouter le thym, l’ail épluché, coupé en morceaux, le blanc des œufs, laisser frémir le tout vingt minutes. ◆ Découper le pain en petits cubes et les faire dorer à la poêle avec l’huile, les déposer sur du papier absorbant. Délayer les jaunes d’œufs avec un peu de bouillon, retirer la branche de thym, lier la soupe hors du feu. ◆ Servir accompagné de croûtons frits.

Recette de Mme Joséphine Le Durand.

Soupe au potiron (première formule)

Pour 6 personnes

> 1 kg de potiron
> 1 l de lait
> 5 cuillères à soupe de tapioca
> 30 g de beurre
> sel
> 1 cuillère à soupe de sucre en poudre
> 1 pincée de noix de muscade

Faire fondre le beurre au fond d'un faitout et y faire suer le potiron, mouiller avec un demi-litre d'eau, saler légèrement, laisser frémir jusqu'à ce que le potiron s'écrase avec une fourchette (vingt minutes environ). ◆ Mettre le lait à bouillir dans une casserole, verser le tapioca en pluie, bien remuer, à l'aide d'un petit fouet pour éviter les grumeaux, sucrer, parfumer avec la noix de muscade, cuire à petit feu durant quinze minutes. ◆ Verser le tapioca sur le potiron, mixer pour obtenir un beau velouté, réchauffer le tout et servir.

Soupe au potiron (deuxième formule)

Pour 6 personnes

> 1 kg de potiron
> 500 g de carottes
> 3 gros oignons
> 1 poignée de haricots blancs
> 1 branche de céleri
> 1 petit piment
> 50 g de beurre
> sel

Mettre les haricots à tremper la veille, les faire blanchir quelques minutes, les rincer et les égoutter. ◆ Laver, éplucher et couper en petits morceaux les légumes, les déposer ainsi que les haricots dans deux litres d'eau bouillante salée, ajouter le piment, laisser frémir durant deux heures en surveillant le niveau d'eau. ◆ Mixer et beurrer la soupe dans la soupière.

PAGES SUIVANTES

Palais des rois de Majorque à Perpignan.

Braou-bouffat

Pour 8 personnes

- > 2 l de bouillon
- > 12 gousses d'ail
- > 4 pommes de terre
- > 1 petit chou
- > 2 cuillères à soupe de riz
- > 1 poignée de gros vermicelle

C'est le court-bouillon très aromatique qui a servi à la cuisson des viandes qui entre dans la fabrication des boudins et ensuite qui sert de base à ce potage. Porter le bouillon à ébullition. Éplucher, laver et couper assez grossièrement les légumes, les déposer dans l'olla durant trente minutes, dix minutes avant la fin de la cuisson ajouter le riz et le vermicelle. Dégraisser. ◆ « Braou-bouffat » ou « brou-buffat », ce potage cerdan se mangeait le lendemain du repas de la « matança » et les jours suivants. ◆ Le bouillon était réparti dans des pots, la graisse, en se figeant, lui assurait quelques jours de conservation.

Vin conseillé : vins de pays rouges.

La pilota

Pour 6 personnes

Découenner le jambon, le hacher finement avec l'ail et le persil, le déposer dans une jatte, ainsi que la chair à saucisse; tremper la mie de pain dans le lait et l'essorer en la pressant avec les mains, l'additionner aux autres ingrédients, casser dessus les œufs, bien mélanger le tout pour obtenir une farce homogène. ◆ Pour la boule ou la pilote, étaler une feuille d'aluminium, la fariner, fariner également vos mains et donner à l'aide de ces dernières la forme désirée à votre farce. ◆ Faire chauffer l'huile dans une poêle; quand elle est chaude baisser le feu, dorer la pilota en la faisant tourner dans la poêle; lorsqu'elle est prise, arrêter, l'éponger avec un papier absorbant pour enlever l'excès de gras. ◆ La pilota terminera sa cuisson dans la soupe dans laquelle on la déposera trente minutes avant la fin de la cuisson; nous la retrouverons dans l'escudella.

- 150 g de jambon de montagne
- 150 g de chair à saucisse
- 2 œufs
- 1 gousse d'ail
- 10 brins de persil
- 1 dl de lait
- 150 g de mie de pain
- poivre
- 2 cuillères à soupe d'huile
- farine

Soupe aux fèves

Pour 6 personnes

> 1,250 kg de fèves
> 600 g de pommes de terre
> 2 gros oignons
> 3 carottes
> 300 g de ventrèche demi-sel
> parures de jambon
> 1 branche de céleri
> 1 bouquet garni (thym, laurier, sauge, origan, basilic)

Écosser les fèves, leur ôter le funicule, éplucher les légumes. ◆ Mettre deux litres d'eau dans un grand faitout, ajouter les aromates, les parures de jambon, l'ail et les oignons. ◆ Aux premiers bouillons adjoindre les fèves, les carottes et le morceau de ventrèche; laisser frémir une heure et trente minutes en surveillant et en maintenant le niveau d'eau. ◆ Préparer la pilota et éplucher les pommes de terre et les déposer dans un faitout trente minutes avant la fin de la cuisson. ◆ Tailler les tranches de pain, les déposer au fond de la soupière et verser dessus le bouillon tamisé. Servir les légumes avec la pilota et la ventrèche coupée en tranches.

Vin conseillé : rosé léger.

Illustration en pages 22-23.

L'ollade

Pour 8 personnes

Temps de cuisson : 2 h 30

> 1 fond de jambon
> 1 queue de cochon
> 1 morceau de « sagi »
> 1 chou
> 600 g de pommes de terre
> 125 g de haricots secs
> 3 carottes
> 2 poireaux
> 1 branche de céleri
> 1 branche de thym
> 5 cl d'huile d'olive
> sel et poivre

Faire tremper les haricots la veille. ◆ Débiter le jambon en rouelles ainsi que la queue de cochon. Les déposer dans un grand pot, les couvrir avec deux litres et demi d'eau, laisser cuire une heure. ◆ Faire cuire les haricots dans de l'eau salée et aromatisée au thym. Après une heure de cuisson de la viande, ajouter les légumes épluchés, lavés et coupés en gros dés, adjoindre les haricots et ajouter le « sagi » (lard rance). Poursuivre la cuisson une heure et trente minutes. Ajouter l'huile d'olive cinq minutes avant la fin de la cuisson. ◆ Il est possible, pour obtenir un plat complet, de servir avec l'ollade des *bautifares* (boudin catalan) ou des saucisses catalanes grillées.

Escudella (première formule)

Pour 6 personnes

Mettre dans un grand faitout d'eau froide salée (6 l environ) le bœuf, l'oreille, le museau et les pois chiches que l'on aura mis à tremper la veille. ◆ Laisser bouillir quarante-cinq minutes environ. ◆ Y ajouter ensuite le veau, le boudin, le jambon salé (trente minutes). Écumer si besoin. Puis y ajouter poireaux, céleri, choux, carottes, navets. Lorsque ces légumes sont à demi-cuits, y ajouter les pommes de terre, pâtes, riz et la pilota (cette viande, après y avoir mélangé œuf, pain, ail, persil, sel et poivre, sera légèrement farinée et roulée comme un saucisson). ◆ Cette pilota sera glissée délicatement dans le bouillon et cuira avec le reste. ◆ Lorsque légumes et féculents sont cuits, on peut considérer que l'« escudella » est terminée. Rectifier l'assaisonnement, si besoin.

Recette de Mme Josette Argenti à Osséja.

N.B. : on peut utiliser des pois chiches déjà cuits ; ne les ajouter alors qu'avec les pommes de terre.

Nos grand-mères y ajoutaient une boulette de « sagi » (lard rance, ce qui rend le bouillon blanc et renforce considérablement sa saveur).

- > 500 g de jarret de bœuf
- > 500 g de jarret de veau
- > 1 ou 2 boudins noirs secs
- > 1 oreille et un morceau de museau de porc salés
- > 1 morceau d'os de jambon sec charnu
- > 1 pilota de 500 g (farce composée de porc et veau hachés + 1 œuf + ail et persil et mie de pain trempée)
- > 500 g de carottes coupées en dés moyens
- > 200 g de navets coupés en dés moyens
- > 300 g de poireaux coupés en dés moyens
- > 1 branche de céleri
- > 2 feuilles de chou vert (facultatif)
- > 500 à 600 g de pommes de terre
- > 300 g de pois chiches
- > 200 g de riz
- > 250 g de spaghettis coupés

Escudella (deuxième formule)

Pour 6 personnes

- > 800 g de viande de mouton (épaule, collier, fond de gigot)
- > 300 g de fond de jambon
- > 1 poignée de haricots secs
- > 500 g de carottes
- > 300 g de poireaux
- > 1/2 pied de céleri
- > 300 g de navets
- > 500 g de pommes de terre
- > 200 g de spaghettis coupés
- > 100 g de riz
- > 3 *baudifares* (boudins)
- > sel et poivre

Tremper les haricots la veille, les laisser cuire une heure à part. Faire blanchir quelques minutes le fond de jambon. ◆ Mettre dans un grand faitout cinq litres d'eau à bouillir, y déposer la viande de mouton, les haricots, saler et poivrer. ◆ Laisser cuire quarante minutes, ajouter le jambon, les légumes épluchés, lavés et coupés en morceaux, continuer la cuisson trente minutes. ◆ Adjoindre la pilota, les pommes de terre, le riz, les spaghettis, prolonger la cuisson trente minutes; dix minutes avant la fin de la cuisson, ajouter les boudins.

Vins conseillés : vins de pays, val d'Agly ou côtes catalanes, corbières ou collioure.

Recette de Marie-Thérèse Delcor.

L'escudella de pages était le plat de base des paysans cerdans; elle se situe entre la potée et l'azinat ariégeois, avec un petit air ibérique.

Comme la garbure gasconne, les ingrédients varient selon les saisons et les ressources des saloirs (soupe paysanne).

CI-CONTRE

Ingrédients pour l'escudella.

Le pain

Il pa y all

Pas compliqué, très catalan, très connu…
Prendre un « croustou » bien doré, une ou deux belles gousses d'ail, les éplucher avec soin et frictionner énergiquement le « croustou » avec. ◆ Quand le pain prend une belle apparence luisante, saupoudrer de sel fin, verser par plaque de l'huile d'olive pure du pays et oindre délicatement le pain tout entier et « Croquer à pleines lèvres, sans vergogne, je veux dire sans peur et sans reproche, comme au Paradis terrestre ». Ainsi que l'écrit dans *La Cuisine paléolithique* Joseph Delteil.

Il pa de pages (pain de paysan)

Le pain de pages a débordé allégrement de ses frontières. Très à la mode, il est maintenant la base de nombreux sandwichs. ◆ Prendre une tomate bien rouge, mûre à point, la couper en quartiers, l'épépiner, frotter et imprégner de bonnes tranches de pain de campagne ou au levain avec le jus et la pulpe du fruit. ◆ Saler avec du sel très fin et oindre d'huile d'olive. ◆ C'est simple, mais c'est très frais. L'on peut ajouter soit un filet de vinaigre, soit une pointe d'ail. On l'appelle aussi pain bagnat.

CI-CONTRE

La mystérieuse
église de Planès
en forme de trèfle.

Sauces
usuelles
catalanes

Sauce romesco

> 2 oignons
> 300 g de tomates
> 200 g de poivrons
> 6 piments
> 4 gousses d'ail
> 8 amandes
> 25 cl d'huile
> 25 cl de vinaigre
> sel

Faire tremper les piments douze heures, les égoutter, les écraser. Dorer au four les tomates, les oignons, les poivrons; quand ils sont à point, les réduire en purée, ajouter les piments, l'ail et les amandes, après les avoir écrasés au mortier. ◆ Incorporer l'huile, le vinaigre, battre jusqu'à obtenir un liquide homogène. ◆ Cette sauce peut se consommer tout de suite, ou se conserver en bouteille.

Illustration en pages précédentes.

Sauce catalane

- 750 g de tomates
- 3 oignons rouges
- 10 gousses d'ail
- 250 g de lardons salés
- 10 brins de persil
- 2 cuillères à soupe d'huile d'olive
- sel et poivre mignonnette

Dans une casserole, faire chauffer l'huile, les oignons épluchés et finement ciselés, l'ail pelé et haché très fin. ◆ Peler et épépiner les tomates, les concasser, les ajouter au contenu de la casserole, remuer, déposer les lardons après les avoir fait blanchir cinq minutes, saler peu mais poivrer généreusement, faire cuire doucement quinze minutes, parsemer avec le persil, poursuivre la cuisson encore cinq minutes.

All y oli à la catalane

- 15 cl d'huile d'olive du Roussillon
- 6 gousses d'ail
- sel

Peler et piler l'ail au mortier, monter avec l'huile la sauce comme une mayonnaise. ◆ Se mangeait le matin au petit déjeuner. Lorsque l'on tuait le cochon, il était le condiment indispensable que l'on consommait ce jour-là. ◆ Aujourd'hui il accompagne surtout la cuisine de plein air (cargolade, cousteillade) ; il sert aussi de liaison (all y oli négat).

PAGES SUIVANTES

La cathédrale de Narbonne.

Sauce verte

- > 1 œuf dur
- > 4 cornichons
- > 10 brins de persil
- > 15 cl d'huile
- > 5 cl de vinaigre
- > 1 tranche fine de pain de campagne

Écraser ou mixer l'œuf (écalé), les cornichons et le persil. ◆ Faire tremper dans le vinaigre la tranche de pain débarrassée de sa croûte, l'égoutter, l'ajouter aux autres ingrédients. ◆ Monter la sauce avec l'huile de la même façon qu'une mayonnaise.

Sauce roussillonnaise

Éplucher et ciseler l'oignon, le faire revenir dans une casserole à fond épais avec le saindoux, ajouter la ventrèche, laisser blondir, saupoudrer avec la farine, remuer. ◆ Mouiller avec le vin, le bouillon, laisser réduire de moitié. Faire tremper et laver dans plusieurs eaux les champignons. ◆ Ajouter l'ail et le coulis de tomate, laisser frémir dix minutes, mettre enfin les champignons, les olives, le piment, continuer la cuisson dix minutes encore. ◆ Vérifier l'assaisonnement, en principe il est inutile d'ajouter du sel. Cette sauce sert à accommoder des viandes blanches, les volailles et le lapin dans le Roussillon.

> 125 g de ventrèche coupée en dés

> 100 g de cèpes ou de mousserons secs

> 250 g d'olives dénoyautées

> 1 oignon

> 3 gousses d'ail écrasées

> 20 cl de bouillon

> 12 cl de vin blanc

> 10 cl de coulis de tomate

> 15 g de saindoux

> 1 cuillère de farine

> 1 pointe de couteau de piment rouge

Le riz

Le riz est une graminée cultivée à l'origine dans les terres humides des pays chauds. Le genre riz (oriza) se divise en trois groupes, les grains diversement teintés par les glumelles. La culture du riz, peu exigeant sur la nature des sols, se pratique sous irrigation ; il doit être repiqué une à deux fois par an. Le riz est maintenant planté en Italie, en Espagne et en France dans les régions méridionales. Le riz, qui constitue la base de l'alimentation des populations de l'Asie orientale, figure maintenant dans notre gastronomie. Dans la cuisine catalane, on le retrouve souvent soit en plat principal, soit en garniture, soit dans les soupes et les potages. Pour que le riz garde toute sa saveur, il est indispensable d'observer quelques règles culinaires élémentaires : mesurer le riz, ainsi que le volume du liquide de cuisson (eau ou bouillon), lequel doit être égal à trois fois son volume. Le riz sera plongé dans le liquide bouillant, le temps de cuisson durera vingt minutes au maximum, ne pas remuer. Le riz à la catalane qui figure sur la photo est le cousin germain des nombreuses paellas qui fleurissent en Catalogne espagnole.

Riz à la catalane

Pour 6 personnes

Découper la ventrèche en morceaux, ainsi que le lapin. ◆ Faire revenir dans un plat à paella, avec la matière grasse choisie, les oignons. Dorer à part la ventrèche, le lapin, les saucisses, les déposer sur les oignons. ◆ Saisir également les calamars coupés en lanières et les langoustines. ◆ Nettoyer et faire ouvrir les moules, les enlever de leurs coquilles, les ajouter au contenu du plat, réchauffer, mélanger le riz avec le bouillon et le fumet de poisson. ◆ Relever avec le safran, le concentré de tomates, saler, poivrer. Cuire à part les petits pois et les haricots verts, les ajouter en fin de cuisson, décorer avec des lanières de poivron rouge.
Le riz est cuit quand il a absorbé tout le liquide.
Vin conseillé : rosé des corbières.

Illustration en pages précédentes.

- 2 cuillères à soupe de saindoux (ou d'huile d'olive)
- 400 g de riz
- 1 lapin d'environ 1,4 kg
- 2 oignons
- 4 gousses d'ail
- 100 g de petits pois écossés
- 100 g de haricots verts
- 350 g de ventrèche
- 6 petites saucisses
- 250 g de calamars
- 6 belles langoustines
- 400 g de moules
- 8 dl de bouillon corsé
- 5 dl de fumet de poisson
- 4 g de safran
- 1 poivron rouge
- 1 cuillère à soupe de concentré de tomates
- sel et poivre

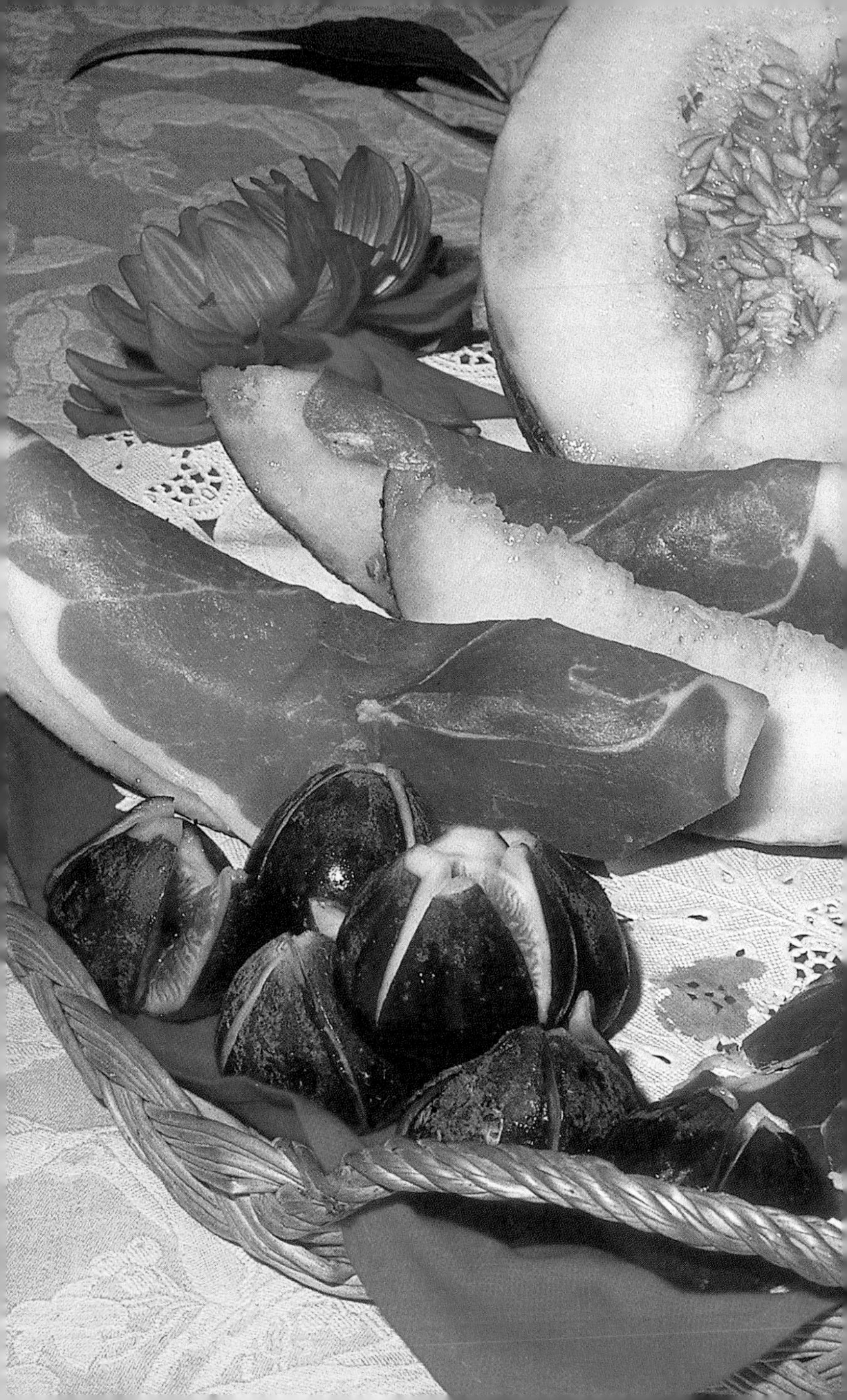

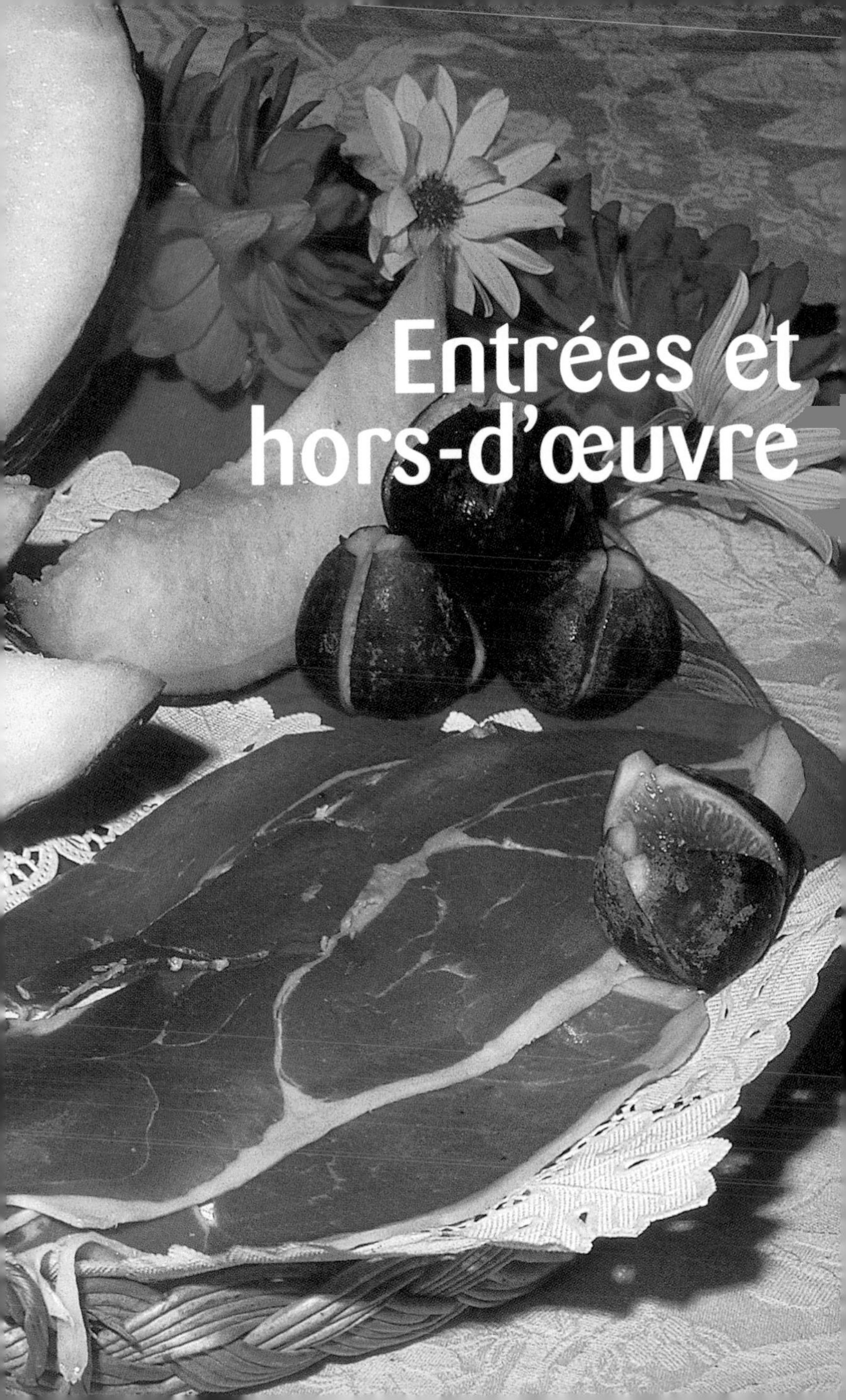

Entrées et hors-d'œuvre

Pointes d'asperges aux caissettes de mousserons

Pour 4 personnes

- > 40 asperges
- > 125 g de mousserons secs
- > 75 g de beurre
- > 1 dl de fond de veau
- > 2 échalotes
- > 1 cuillère à soupe d'huile
- > sel et poivre

Nettoyer les asperges et couper les parties ligneuses. ◆ Laver les mousserons dans plusieurs eaux, les faire tremper quinze minutes. Faire revenir dans un poêlon les échalotes finement hachées, ajouter les mousserons, laisser dorer. ◆ Mettre à chauffer le fond de veau dans une casserole et verser dedans le contenu du poêlon, laisser frémir très, très doucement vingt minutes. ◆ Dans un grand faitout porter deux litres d'eau à ébullition, déposer les asperges, saler, les laisser cuire vingt minutes. ◆ Retirer délicatement les pointes d'asperges, les éponger soigneusement. ◆ Incorporer le beurre au mélange mousserons-échalotes, petit à petit et hors du feu, ajouter les pointes d'asperges, disposer dans des caissettes de pâte brisée, réchauffer. ◆ Dresser et servir.

Vin conseillé : côtes-du-roussillon blanc.

Œufs à la catalane

Pour 6 personnes

- > 12 œufs
- > 6 tomates
- > 2 aubergines
- > 2 gousses d'ail
- > 10 brins de persil
- > 2 cuillères à soupe d'huile d'olive
- > 1 cuillère à soupe d'huile d'arachide
- > sel et poivre

Éplucher les aubergines, les débiter en tranches épaisses, les faire dégorger au sel au moins une heure. ◆ Dans une poêle huilée avec de l'huile d'olive, faire cuire séparément les tomates coupées en deux, les tranches d'aubergines bien essuyées, les réunir, assaisonner les tomates et saupoudrer avec la persillade. ◆ Dans une autre poêle et avec l'huile d'arachide faire cuire les œufs, leur nombre peut être variable suivant votre appétit. ◆ Présenter sur une assiette les œufs, entourés de tomates et de tranches d'aubergines; quelques tranches de chorizo poêlées relèvent bien ce plat.

Vin conseillé : rosé léger.

PAGES SUIVANTES

La forteresse de Salses.

Omelette paysanne

Pour 6 personnes

- > 12 œufs
- > 5 pommes de terre
- > 1 gros oignon rouge
- > matière grasse (saindoux ou huile)
- > sel et poivre

Éplucher et couper en tranches les pommes de terre, peler et émincer l'oignon, déposer dans une poêle anti-adhésive la matière grasse choisie, chauffer et dorer doucement les pommes de terre et les oignons. ◆ Couvrir à mi-cuisson. Saler et poivrer en fin de cuisson. ◆ Casser les œufs dans une jatte, saler et poivrer, les battre et les verser sur les légumes, faire cuire l'omelette des deux côtés. Il est plus facile de réaliser une omelette moyenne qu'une trop importante, il vaut mieux procéder en deux fois.

Vins conseillés : vins de pays catalans.

Les œufs vert pré

Pour 6 personnes

- > 6 œufs
- > 1 gousse d'ail
- > 3 branches de cresson
- > 3 brins de persil
- > 3 tiges de ciboulette
- > 60 g de beurre
- > 3 cuillères à soupe d'huile d'olive
- > 1 cuillère à soupe de vinaigre

Pocher les œufs durant dix minutes à l'eau bouillante, les rafraîchir sous le robinet, les écaler. Débarrasser le cresson des grosses tiges, les mixer ainsi que les herbes et la gousse d'ail épluchée. ◆ Partager les œufs, séparer les blancs et les jaunes, incorporer les jaunes au hachis, plus le beurre réduit en pommade, saler, poivrer et fourrer le blanc des œufs avec cet appareil, les dresser et les assaisonner avec la vinaigrette.

Vin conseillé : vin blanc frais et léger.

Suggestion pour déguster le jambon

Pour sortir un peu du sempiternel pain-jambon-beurre et si vous aimez les salés-sucrés : dégustez le jambon de nos montagnes autrement, avec des melons d'Espagne, des figues bien mûres, coupé en dés à l'heure de l'apéritif, en buvant du muscat, avec des raisins muscats, etc. et aussi avec du pain bagnat.

Illustration en page 38-39.

Escalivada

Pour 6 personnes

Temps de cuisson : 25 minutes

- > 1 aubergine
- > 3 poivrons
- > 1 gros oignon de Toulouges
- > huile d'olive
- > sel et poivre

Éplucher et détailler l'aubergine, déposer ces tranches sur une assiette, les laisser reposer une heure après les avoir saupoudrées avec du sel fin. Pour éplucher plus facilement les poivrons, les passer quatre minutes sous le gril du four, les épépiner et les couper en huit morceaux. ◆ Disposer les légumes dans un plat allant au four, sur une seule couche, bien essorer l'aubergine avant de la mettre dans le plat et découper l'oignon en tranches après l'avoir épluché. ◆ Assaisonner et arroser avec de l'huile d'olive ; faire cuire dans le four thermostat 6. Accompagner d'une sauce vinaigrette.

Vins conseillés : vins blancs de pays légers et plutôt acides.

NI 573969

L'anchois de Collioure

Petit poisson de quinze à vingt centimètres de longueur, l'anchois fréquente certaines mers d'Europe : la mer Méditerranée, la mer du Nord, la mer Noire, l'océan Atlantique. Les anchois passent l'hiver sur des fonds de cent à deux cents mètres de profondeur où ils trouvent une température clémente. Pour frayer, ils se rapprochent des côtes ; ils constituent alors des bancs de millions et parfois de milliards d'individus. Sa pêche se pratique en juin-juillet à l'aide de filets appelés « rissoles » ; la nuit, les anchois sont attirés dans les filets à l'aide du « lamparo ». Pour leur conservation, les anchois sont salés dans des barils où sont alternés des lits de sel et des lits d'anchois. L'anchois aurait les propriétés d'exciter l'appétit et de faciliter la digestion. Les Romains écrasaient ces petits poissons puis les cuisaient dans la saumure. Ils ajoutaient ensuite du vinaigre et du persil haché, pour en faire une sauce très prisée qu'ils baptisaient « garum ». Ce « garum » ressemble assez à la sauce aux anchois de nos voisins britanniques. Le pissalat, condiment aux anchois des Provençaux, est obtenu en passant au tamis des anchois marinés dans la saumure ; cette purée est délayée avec un peu de saumure et aromatisée de clous de girofle.
En pilant des filets d'anchois après les avoir dessalés et en les amalgamant à environ quatre fois leur volume de beurre on obtient le beurre d'anchois (« anchoyade » des Provençaux) très prisé sur des canapés à l'heure de l'apéritif ; il accompagne parfaitement les viandes et les poissons grillés.

PAGES PRÉCÉDENTES

Le port de Collioure.

Anchois de Collioure.

PAGES SUIVANTES

Le cloître d'Elne.

Anchois aux pommes reinettes

Pour 6 personnes

> 5 belles pommes reinettes
> 15 filets d'anchois
> 50 g de beurre
> 1 citron

Laver et dessaler les anchois en les faisant tremper quinze minutes dans de l'eau froide, les essuyer et retirer l'arête centrale. ◆ Éplucher les pommes, les couper en quartiers et les débiter en lamelles un peu épaisses. ◆ Faire chauffer le beurre dans une grande poêle. ◆ Quand il est à point, y verser les pommes, les arroser avec le jus du citron; quand elles sont dorées, ajouter les filets d'anchois coupés en morceaux, laisser durant quelques minutes les pommes et les anchois s'imprégner mutuellement, servir très chaud. ◆ Ce plat peu usité est doté d'une saveur certaine, très particulière, fort agréable tel quel; il accompagne parfaitement des viandes blanches rôties, des poissons grillés ou en papillotes.

L'anchois à la catalane

Pour 4 personnes

Parer les anchois et lever les filets. ◆ Faire durcir les œufs (les plonger dix minutes dans de l'eau bouillante), les écaler, les couper en deux, séparer les blancs et les jaunes et les concasser séparément. ◆ Dresser sur une assiette les œufs émiettés, quadriller avec des filets d'anchois, assaisonner avec la vinaigrette et décorer avec les olives.

- > 12 anchois
- > 4 œufs durs
- > 2 cuillères à soupe d'huile d'olive
- > 1 cuillère à soupe de vinaigre
- > quelques olives
- > poivre

Le feuillet

Pour 6 personnes

Parer les anchois, faire durcir les œufs, les écaler et les couper en quartiers, laver les tomates, les détailler, éplucher et ciseler l'oignon. ◆ Déposer sur un plat les tomates, les œufs durs, les oignons, assaisonner avec la vinaigrette bien poivrée mais peu salée, disposer harmonieusement dessus olives et anchois.

- > 500 g de tomates
- > 15 filets d'anchois
- > 1 petit oignon rouge
- > 100 g d'olives
- > 4 cuillères à soupe d'huile d'olive
- > 1 cuillère à soupe de vinaigre
- > 1 cuillère à café de moutarde
- > sel et poivre

Salade de haricots blancs aux anchois de Collioure

Pour 6 personnes

- > 300 g de haricots blancs
- > 15 filets d'anchois
- > 5 cuillères à soupe d'huile d'olive
- > 2 cuillères à soupe de vinaigre
- > 1 cuillère à café de moutarde
- > sel et poivre

Laver et faire tremper les haricots une nuit, les rincer, les égoutter, les faire blanchir, les égoutter à nouveau, les mettre à cuire dans un litre d'eau tiède, arrêter la cuisson quand ils sont tendres. ◆ Préparer la vinaigrette dans le plat de service ; couper (après les avoir parés) les filets d'anchois en morceaux ; verser les haricots encore tièdes sur la vinaigrette ; ajouter les anchois, bien remuer et servir.

Vin conseillé : côtes-du-roussillon blanc pour l'ensemble des recettes à base d'anchois.

Mille-feuille aux anchois

Pour 6 personnes

Faire cuire les abaisses de pâte feuilletée (la pâte surgelée est parfaite pour cette recette) après l'avoir décongelée. ◆ Faire durcir les œufs et hacher le persil. Écraser ou mixer les filets d'anchois et les incorporer au beurre réduit en pommade. ◆ Lorsque les abaisses sont cuites et froides, les tartiner avec le beurre d'anchois et les superposer, décorer en damier avec les jaunes et les blancs d'œufs et le persil haché. ◆ Réchauffer au moment de servir.

Vins conseillés : corbières blanc ou muscat-de-rivesaltes.

> 4 abaisses de pâte feuilletée de 26 cm x 15 cm

> 300 g de beurre doux

> 75 g de filets d'anchois

> 2 œufs

> 10 brins de persil

Les poissons

Thon à la catalane

Pour 6 personnes

- 1 kg de thon frais
- 1 kg de tomates
- 20 petits oignons
- 200 g de cornichons
- 1 dl de coulis de tomate
- 15 cl d'huile d'olive
- 10 brins de persil, coriandre et origan frais
- sel et piment de Cayenne
- vinaigre d'alcool

Trois jours avant, éplucher les petits oignons, les saler avec du gros sel, les laisser mariner, les essuyer, les disposer dans un bocal, les recouvrir de vinaigre d'alcool chaud et les oublier deux jours (au moins). ◆ Peler, épépiner et couper les tomates en dés. Huiler avec une partie de l'huile une cocotte à fond épais, y verser les tomates et déposer le thon, assaisonner avec le sel, le piment de Cayenne, les aromates; couvrir, porter tout doucement à ébullition, laisser mijoter cinq minutes; émulsionner le coulis de tomate et l'huile restante, les verser dans la cocotte, continuer la cuisson durant dix minutes, ajouter les cornichons découpés en rondelles et les oignons confits au vinaigre. ◆ Servir froid. Il vaut mieux, avant de servir le thon à la catalane, lui ôter la peau et les arêtes.

Vin conseillé : saint-aubin.

La bullinada

Pour 6 personnes

- > 1,5 kg de poissons variés (merlan, baudroie, rouget, congre)
- > 800 g de pommes de terre fermes
- > 6 gousses d'ail
- > 1 bouquet de persil
- > 2 cuillères à soupe d'huile d'olive
- > 2 cuillères à soupe de farine
- > 1 morceau de piment ou une pointe de couteau de piment de Cayenne
- > 1 pincée de safran
- > sel
- > 1 cuillère de saindoux

Éplucher les pommes de terre, les laver, les essuyer, les découper en tranches plutôt fines. Vider les poissons et les tronçonner. Faire fondre le saindoux dans une marmite et déposer la persillade, le piment, le safran, le sel, puis une couche de pommes de terre, recouvrir ces dernières de morceaux de poissons, saupoudrer de farine et alterner ainsi de suite, pommes de terre, poissons, farine jusqu'à épuisement. ◆ Couvrir d'eau froide, verser dessus l'huile d'olive, poser le couvercle. Déposer la marmite sur un feu très vif, porter rapidement à l'ébullition et la maintenir, dix à quinze minutes de cuisson sont nécessaires. ◆ C'est la rapidité et le mode de cuisson qui donnent à ce plat son goût particulier, car il doit durant son séjour sur le feu bouillir à gros bouillon, d'où lui vient son appellation.

Vin conseillé : corbières blanc.

Rougets à la catalane

Pour 4 personnes

- > 4 rougets barbets de 250 g environ
- > 600 g de tomates
- > 1 gros oignon
- > 5 gousses d'ail
- > 1 tasse de mie de pain rassis bien émietté
- > 1 cuillère à soupe de persil haché
- > 2 poivrons
- > 15 cl d'huile d'olive + 40 g de beurre
- > 250 g de riz
- > sel et poivre

Faire chauffer dans une casserole deux cuillères à soupe d'huile, verser le riz et remuer pour qu'il n'accroche pas durant trois minutes, mouiller avec de l'eau froide (la quantité d'eau est égale au volume du riz multiplié par trois), saler, poivrer et baisser le feu aux premiers bouillons; quand le riz aura absorbé l'eau de cuisson, il sera cuit à point. ◆ Faire fondre les oignons dans une poêle avec l'huile restante, ajouter l'ail écrasé, les tomates épluchées et épépinées puis coupées en dés, saler, poivrer et laisser réduire vingt minutes. ◆ Vider et ciseler les poissons, les saisir à la poêle avec le beurre. ◆ Déposer dans un plat allant au four, napper avec la fondue de tomates, parsemer dessus la mie de pain et le persil, l'introduire dans le four préchauffé quinze minutes (thermostat 6). ◆ Éplucher les poivrons (pour cela il faut les mettre en papillotes et les introduire trois minutes dans le four chaud), les épépiner et les détailler en lanières et les faire frire avec le reste de l'huile. ◆ Lorsque le riz est cuit, le façonner en couronne sur le plat de service, dresser au centre les poissons et la sauce, servir accompagné des lanières de poivrons.

PAGES SUIVANTES

Un café de Perpignan.

All cremat

Pour 6 personnes

- > 1,5 kg de poissons de bouillabaisse
- > 12 gousses d'ail
- > 1 piment rouge
- > 1 cuillère à soupe de farine bombée
- > 1 cuillère à soupe de saindoux
- > 5 cl d'huile d'olive
- > sel
- > 6 tranches de pain de campagne + 2 gousses d'ail

Dans une casserole en terre mettre le saindoux, l'huile et le piment haché, saler et les faire roussir jusqu'à presque les brûler, saupoudrer avec la farine, remuer en appuyant sur le fond, mouiller avec un demi-litre d'eau, porter à ébullition. ◆ Quand la sauce bout à gros bouillons, ajouter les poissons parés et tronçonnés, couvrir et faire cuire à grand feu quinze minutes. ◆ L'all cremat est souvent baptisé bouillabaisse catalane; son mode de cuisson identique à celui de la bullinada lui donne également ce goût très particulier qui le différencie de la bouillabaisse provençale. ◆ Servir avec des tranches de pain grillées, frottées à l'ail.

Vin conseillé : côtes-du-roussillon blanc.

Ragoût de morue

Pour 6 personnes

- > 800 g de morue salée
- > 600 g de pommes de terre
- > 1 bouquet de persil
- > 3 gousses d'ail
- > 12 cl d'huile (olive ou arachide)
- > 2 cuillères à soupe de farine
- > poivre

Faire dessaler la morue comme dans la recette précédente. ◆ Éplucher, laver et essuyer les pommes de terre, les découper en tranches épaisses. ◆ Dans une cocotte à fond épais, chauffer une partie de l'huile et faire dorer les pommes de terre; quand elles sont à point, les saupoudrer avec la farine, bien remuer, ajouter la persillade, couvrir avec de l'eau, porter à ébullition. ◆ Couper la morue en morceaux, les éponger et les faire dorer à la poêle avec l'huile restante, les déposer dans la cocotte, poivrer et laisser mijoter doucement durant vingt minutes.

Vin conseillé : corbières blanc.

Recette de Mme Joséphine Le Durand.

Morue à la catalane

Pour 6 personnes

Débarrasser la morue de l'excès de sel et la laisser tremper durant vingt-quatre heures dans de l'eau froide afin de la dessaler. ◆ Éplucher et épépiner les légumes, les découper en dés ou en lanières et les faire blondir dans une sauteuse avec une partie de l'huile d'olive, porter doucement à ébullition et laisser réduire. ◆ Éponger soigneusement la morue, la découper en carrés, la fariner; faire chauffer le reste de l'huile dans une poêle et saisir les morceaux de morue. ◆ Déposer les carrés bien dorés de poissons dans la sauteuse, laisser mijoter dix minutes ensemble. Dresser et servir aussitôt.

Vin conseillé : corbières blanc.

> 1 kg de morue salée

> 800 g de tomates bien mûres

> 2 oignons

> 4 gousses d'ail

> 2 poivrons

> 12 cl d'huile d'olive

> 3 feuilles de laurier

> sel et poivre

> farine

Zarzuela

Pour 8 personnes

- > 500 g de merlans
- > 300 g de baudroie
- > 4 calamars
- > 12 clovisses
- > 12 moules
- > 4 gambas
- > 4 grosses crevettes
- > 500 g de poissons de roche
- > 8 gousses d'ail
- > 1 oignon
- > « pimentons » (petit piment rouge en purée)
- > safran
- > 50 g d'amandes écalées
- > 3 feuilles de laurier
- > 1 petit bouquet de persil
- > 6 cl de cognac
- > 1 cuillère à soupe de farine
- > 20 cl d'huile
- > fond de poisson fait avec les têtes et parures de poissons de roche et l'eau de cuisson des moules

La zarzuela est un des plats de prestige de la cuisine catalane. Les recettes de zarzuela sont assez variables: zarzuela aux poissons et aux crustacés; poissons et coquillages; poissons, crustacés et coquillages, etc.
On parfume au rhum ou au cognac, on relève au piment, au safran, au citron, etc.
Les quantités d'ail, d'oignons et de tomates changent bien souvent, mais le résultat est toujours délectable.
Je vous propose deux recettes, la mienne et celle, si joliment écrite, par une Cerdane, et vous invite à faire comme les Catalanes: y apporter votre touche personnelle.

Laver et frotter les moules et les clovisses, les mettre dans une casserole avec de l'eau jusqu'à ce qu'elles s'ouvrent. ◆ Saler les morceaux de poissons, les fariner, les dorer avec de l'huile en abondance. ◆ Hacher l'ail, l'oignon et les tomates, les faire sauter dans de l'huile, premièrement l'ail et l'oignon, les tomates peu après. ◆ Hacher les quatre gousses d'ail restantes, le safran, les amandes, le persil dans un mortier, saler et mettre un peu de fond de poisson. Ajouter au « sofrito » une cuillère à café de « pimentons », deux cuillères à soupe de farine, tourner soigneusement; rajouter du persil, du cognac et du fond de poisson au contenu du mortier. Passer toute la sauce au chinois, placer tout le poisson dans une cocotte en terre ainsi que les gambas, les crevettes et les coquillages, rajouter toute la sauce, cuire à feu lent pendant dix minutes. Servir avec des tranches de pain frites. On peut le réchauffer au four.
Vin conseillé : corbières blanc.

Zarzuela de poissons et de crustacés à la catalane

Pour 8 personnes

Laver et couper les tomates, les faire fondre dans un poêlon. ◆ Éplucher et ciseler les oignons en lanières et les faire dorer à l'huile dans une sauteuse. ◆ Débiter les calamars en tranches fines, la langouste en tronçons, les poissons en tranches. ◆ Quand les oignons sont à point, ajouter aussitôt calamars, poissons et crustacés, l'ail et le persil hachés; faire sauter à feu très vif cinq minutes environ, arroser avec le vin et le rhum. Saler, poivrer très généreusement puis ajouter le laurier. Poursuivre la cuisson dix minutes après les premiers bouillons. ◆ Quelques minutes avant la fin, retirer les gambas et les décortiquer, en garder trois ou quatre pour la décoration. ◆ Retirer les poissons et les crustacés, les déposer sur le plat de service et les tenir au chaud, bien réduire la sauce, la répartir sur le plat et arroser avec le jus du citron, présenter le plat entouré de tranches de pains frites.

Vin conseillé : saint-aubin.

> 1 kg de langoustes
> 12 gambas
> 600 g de colin
> 600 g de calamars
> 4 tomates
> 6 oignons
> 3 gousses d'ail
> 10 brins de persil
> 6 cl de rhum
> 25 cl de vin blanc
> 1 citron
> 2 cuillères à soupe d'huile d'olive
> 6 tranches de pain (plus huile pour les faire frire)

Civet de langouste au vin de Banyuls

Pour 4 personnes

- 2 kg de langoustes
- 5 échalotes
- 4 carottes
- 6 gousses d'ail
- 100 g de jambon de montagne
- 50 cl de vin de Banyuls
- 7 cl de cognac
- 15 cl de fond de veau
- 15 cl de fumet de poisson
- 1 cuillère à soupe de concentré de tomates
- 10 cl de crème fraîche
- 40 g de beurre
- 2 cuillères à soupe d'huile d'olive
- sel, poivre, piment de Cayenne

Laver et éplucher les légumes, les détailler en julienne, couper le jambon en dés et les faire suer dans un poêlon avec une partie de l'huile et du beurre. ◆ Couper les langoustes, détacher les pattes, couper les queues en tronçons, ouvrir les coffres, recueillir la lymphe, les parties crémeuses et le corail pour lier la sauce. ◆ Dans une poêle, faire revenir dans de l'huile bien chaude les queues et les pattes, les assaisonner; quand elles sont rouges les flamber avec le cognac, ajouter la mirepoix, mouiller avec le banyuls, le fumet de poisson, le fond de veau mélangé au concentré de tomates. Laisser frémir vingt minutes. ◆ Mélanger la lymphe et les parties crémeuses avec la crème fraîche, relever avec le piment de Cayenne (une pointe de couteau). ◆ Enlever les langoustes, les réserver au chaud, réduire la sauce de moitié et la lier. ◆ Dresser harmonieusement et napper avec la sauce.

Vin conseillé : vieux banyuls.

Civet de homard au vin de Banyuls

Pour 4 personnes

Éplucher, laver et couper les légumes en julienne, faire chauffer dans une cocotte vingt grammes de beurre et l'huile d'olive et les faire suer avec la poitrine détaillée en dés, les zestes d'oranges et de citrons. ◆ Couper les homards et recueillir la lymphe, détacher les pinces et les queues, couper ces dernières en tronçons. ◆ Partager les coffres, les ajouter au contenu de la cocotte, les laisser rougir, verser le banyuls; ajouter deux verre d'eau, laisser frémir vingt-cinq minutes. ◆ Faire chauffer vingt grammes de beurre dans une poêle, saisir les queues et les pinces des homards, quand elles sont rouges, les flamber à l'armagnac et vider le tout dans la cocotte, laisser cuire ensemble quinze minutes. ◆ Réserver les homards au chaud et faire réduire la sauce de la moitié de son volume, mélanger la lymphe avec le reste du beurre et lier la sauce hors du feu. ◆ Dresser les homards sur le plat de service, décorer avec des quartiers de citron et d'orange. Vous pouvez remplacer le banyuls par du rancio.

Vin conseillé : vieux banyuls ou vieux rancio.

> 1,5 kg de homard

> 60 cl de vin de Banyuls

> 8 cl d'armagnac

> 50 g de poitrine fumée

> 3 oranges

> 3 citrons

> 3 carottes

> 2 poireaux

> 6 gousses d'ail

> 2 cuillères à soupe d'huile d'olive

> sel et poivre

Abats
et viandes

Ris de veau au muscat-de-rivesaltes

Pour 6 personnes

- > 1,8 kg de ris de veau
- > 600 g de cèpes en conserve
- > 5 échalotes
- > 200 g de ventrèche
- > 40 cl de muscat-de-rivesaltes
- > 2 verres de vin blanc sec
- > 15 cl de fond de veau
- > 2 cuillères à soupe de farine
- > 50 g de beurre
- > 1 cuillère d'huile d'arachide
- > thym et origan
- > sel et poivre

Faire dégorger les ris de veau à l'eau froide, durant quelques heures. ◆ Les pocher quelques minutes, retirer les parties graisseuses et cartilagineuses, les éponger. ◆ Mettre vingt grammes de beurre dans une cocotte, dorer les échalotes hachées et la ventrèche débitée en dés, mouiller avec le fond de veau, le vin blanc après l'avoir flambé, assaisonner, aromatiser. ◆ Laisser reposer doucement. ◆ Escaloper les ris de veau, les fariner, les dorer au beurre. Les déposer dans une cocotte, ainsi que les cèpes séchés et égouttés. ◆ Laisser frémir cinq minutes, ajouter le muscat, prolonger la cuisson dix minutes. ◆ Dresser et servir très chaud.

Vin conseillé : muscat-de-rivesaltes.

Filet de porc à l'ail

Pour 6 personnes

Préchauffer le four (thermostat 7). ◆ Huiler un plat à rôtir, y installer la viande et le morceau de ventrèche, saler, poivrer, introduire dans le four et laisser dorer trente minutes. ◆ Éplucher huit gousses d'ail (enlever les peaux non adhérentes aux autres) et les mettre avec le bouillon dans une casserole, laisser cuire doucement quinze minutes. ◆ Baisser le thermostat (6), déposer le reste des gousses d'ail autour du rôti et prolonger la cuisson de trente minutes. Au bout de vingt-cinq minutes, retirer les gousses d'ail, les éplucher et les tenir au chaud. ◆ Retirer les viandes du four, dégraisser la sauce et déglacer avec le bouillon ayant servi à la cuisson de l'ail, remettre 2 minutes au four. ◆ Dresser le rôti sur le plat de service, entouré de morceaux de ventrèche et de gousses d'ail, décorer avec du persil. ◆ Servir avec des tranches de pain de campagne que les convives tartineront avec l'ail. ◆ Peut être accompagné de riz au curry, de pommes de terre sautées, ou de brocolis.

Vin conseillé : collioure.

> 1,2 kg de filet de porc
> 35 gousses d'ail
> 300 g de ventrèche
> 1/2 litre de bouillon
> sel et poivre
> persil

Illustration en pages précédentes.

Rognons d'agneau sautés

Pour 6 personnes

- > 18 rognons d'agneau
- > 12 échalotes
- > 1 verre de vin blanc sec
- > 2 branches de thym
- > 2 cuillères à soupe d'huile d'olive
- > sel et poivre

Éplucher et ciseler les échalotes, les faire fondre sur un feu très doux, dans le vin blanc. Partager les rognons en deux, les saisir à la poêle avec l'huile d'olive. ◆ Retirer les rognons encore saignants, réduire leur jus, ajouter le mélange vin blanc et échalotes, les rognons, saler et poivrer. ◆ Dresser et servir très chaud. Vous pouvez accompagner ce plat de mousserons ou de pleurotes bien caramélisés.

Vin conseillé : vin de Collioure.

l'Etoile

Filet d'agneau au banyuls

Pour 6 personnes

Faire désosser et parer le filet d'agneau par votre boucher. ◆ Préparer une farce avec les épinards (lavés et blanchis durant cinq minutes après les premiers bouillons), le foie d'agneau, vingt-cinq grammes de griottes, le pain de mie, du sel et du poivre. ◆ Étaler la farce sur la viande, rouler et ficeler solidement. ◆ Huiler un plat allant au four, déposer le filet d'agneau, saler et poivrer, disperser quelques flocons de beurre dessus et l'introduire dans le four (thermostat 7) durant quarante minutes. ◆ Verser le vin dans une casserole, le porter à ébullition, le flamber, le retirer du feu, le faire réduire d'environ la moitié de son volume, ajouter dix centilitres de jus de griottes, le fond de veau et les griottes dénoyautées, laisser réduire ; quand la sauce nappe la cuillère, elle est cuite, mixer. Quand le filet est à point, le retirer du plat de cuisson, dégraisser le jus du rôti et le mêler intimement à la sauce au vin, réchauffer. ◆ Dresser le filet d'agneau sur le plat de service, le napper avec la sauce. ◆ Vous pouvez accompagner ce plat de pommes de terre duchesse aromatisées avec une pincée de noix de muscade ou d'épinards en branches revenus au beurre.

Vin conseillé : banyuls.

- > 1,2 kg de filet d'agneau
- > 3 verres de vin de Banyuls
- > 150 g de griottes au naturel
- > 15 g de beurre
- > 1 cuillère à soupe d'huile d'arachide
- > 1 tranche de pain de mie
- > 75 g de foie d'agneau
- > 200 g d'épinards
- > sel et poivre

Trinchat ou Trinxat (hachis cerdan)

Pour 6 personnes

- > 1 chou
- > 600 g de pommes de terre
- > 12 tranches de ventrèche
- > sel et poivre

Laver le chou, le débarrasser des parties dures, le faire blanchir, l'égoutter. ◆ Porter trois litres d'eau à ébullition, y plonger le chou, aux premiers bouillons ajouter les pommes de terre épluchées et coupées en morceaux, saler et poivrer, laisser cuire trente minutes. ◆ Égoutter les légumes, les passer à la moulinette avec une grille fine, jusqu'à obtenir une purée verte et homogène. ◆ Huiler une poêle et faire dorer doucement la ventrèche découennée. ◆ Dresser le plat et disposer harmonieusement les tranches de ventrèche; arroser le tout avec le jus de cuisson de la ventrèche.

Vin conseillé : corbières blanc.

Recette de Marie-Thérèse Delcor à Osséja.

Foie de porc aux raisins secs de Malaga

Pour 6 personnes

Temps de cuisson : 20 minutes

- > 600 g de foie de porc en tranches
- > 150 g de ventrèche
- > 100 g de raisins de Malaga
- > 150 cl de vin blanc sec
- > 1 cuillère à soupe de concentré de tomates
- > 3 cuillères à soupe d'huile d'olive
- > 3 tranches de mie de pain
- > 10 brins de persil
- > sel et poivre

Faire tremper les raisins de Malaga dans de l'eau tiède dix heures environ. ◆ Fariner les tranches de foie, les faire sauter à l'huile cinq minutes sur chaque face et les disposer sur un plat chaud allant au four, saler et poivrer. Tenir au chaud. ◆ Faire dorer la ventrèche coupée en dés dans la même huile que le foie. Mouiller avec le vin blanc, laisser réduire d'un tiers, ajouter le concentré de tomates dilué avec un peu d'eau et les raisins bien essorés. Assaisonner. ◆ Laisser bouillir cinq minutes et napper le foie, réchauffer au four (thermostat 7) deux à trois minutes. ◆ Décorer avec les tranches de pain de mie coupées en diagonale et frites au beurre, parsemer de persil haché.

Vin conseillé : côtes-du-roussillon banc ou rosé.

Trinchat ou Trinxat.

Estouffat catalan

Pour 8 personnes

Mettre les haricots à tremper la veille dans de l'eau froide, après les avoir bien lavés. ◆ Foncer le fond de la cocotte avec des couennes, la partie grasse dessous (la quantité de couenne doit être égale à la surface du fond de la cocotte), déposer deux oignons, les carottes, les navets, les poireaux (lavés et coupés en rondelles), la viande détaillée en morceaux d'environ cinquante grammes (après l'avoir frottée à l'ail), un clou de girofle, et la ventrèche découpée en dés et dorée à la poêle. ◆ Installer sur un feu très doux, mouiller avec le vin, ajouter les tomates pelées, épépinées et coupées en dés, deux gousses d'ail écrasées, saler, poivrer et laisser mijoter très doucement trois heures. Égoutter les haricots, les faire blanchir dans un faitout contenant deux litres d'eau froide (cinq minutes à partir du premier bouillon), égoutter. ◆ Faire tiédir un litre et demi d'eau et y faire cuire les haricots en compagnie d'un oignon, d'une gousse d'ail et d'un petit bouquet garni. ◆ Faire tremper les cèpes (environ quinze minutes). ◆ Tronçonner la saucisse et la dorer à la poêle. Égoutter les haricots et les champignons, ajouter le tout au contenu de la cocotte ainsi que l'Armagnac, laisser mijoter trente minutes. ◆ Si vous le souhaitez, vous pouvez faire cuire l'estouffat dans le four très doux (thermostat entre 4 et 5); il est possible de laisser la viande entière, il faut alors la piquer avec de l'ail et des lardons. ◆ Servir avec des tranches de pain de campagne grillées ou frites à l'huile, frottées avec des gousses d'ail.

Vin conseillé : minervois.

- > 1,2 kg de viande de bœuf (paleron)
- > 300 g de saucisse
- > couennes
- > 200 g de poitrine de porc salée
- > 300 g de haricots blancs
- > 400 g de tomates
- > 3 gros oignons
- > 2 blancs de poireaux
- > 250 g de carottes
- > 200 g de navets
- > 4 gousses d'ail
- > 1 bouquet garni (thym, laurier, origan, sauge)
- > 2 clous de girofle
- > 1 bouteille de vin de Minervois
- > 7 cl d'armagnac
- > sel et poivre mignonnette
- > 60 g de cèpes secs (facultatif)
- > tranches de pain de campagne

Boles de picolat

Pour 6 personnes

- > 400 g de chair à saucisse
- > 400 g de viande de bœuf hachée
- > 2 œufs
- > 2 gousses d'ail
- > 2 cuillères à soupe de farine
- > sel et poivre
- > 15 cl d'huile

Pour la sauce

- > 500 g de tomates
- > 250 g de champignons de Paris
- > 175 g d'olives vertes
- > 200 g de ventrèche
- > sel et poivre
- > 2 cuillères à soupe d'huile
- > 2 oignons
- > 2 gousses d'ail

Mettre dans une jatte la chair à saucisse, la viande de bœuf, l'ail et le persil hachés, saler légèrement, relever en poivre, bien amalgamer ces ingrédients, incorporer l'un après l'autre les œufs entiers, malaxer pour obtenir un appareil bien homogène. Fariner vos mains et votre plan de travail, prélever une cuillère à soupe de viande, former une boulette, la rouler dans la farine et recommencer jusqu'à épuisement. ◆ Faire chauffer l'huile, lorsqu'elle est chaude y plonger les boles (bouteilles), les retirer dès qu'elles sont dorées, les tenir au chaud. Préparer la sauce, couper la ventrèche en dés et les faire blanchir cinq minutes. ◆ Faire revenir dans une casserole à fond épais avec un peu d'huile l'ail et les oignons épluchés et hachés, ajouter la ventrèche égouttée, les tomates pelées, épépinées et coupées en morceaux, poivrer, saler peu ou pas, les olives s'en chargent; faire dorer avec un peu d'huile les champignons de Paris, les ajouter à la sauce et laisser mijoter le tout ensemble jusqu'à ce que la sauce ait atteint la bonne consistance, adjoindre alors les olives. ◆ Verser la sauce dans une cocotte, la déposer sur un feu doux et y plonger « las boles de picolat », laisser frémir le tout vingt minutes. ◆ Si vous voulez obtenir un plat complet, vous pouvez ajouter quelques minutes avant la fin de la cuisson des pommes de terre cuites à l'anglaise, tout simplement.

Vin conseillé : corbières blanc.

Recette de Mme Marie-Thérèse Delcor à Osséja.

Château
Corbières
1985

Volailles et gibiers

Terrine de foie gras au vin de Maury

Pour 8 personnes

- > 1 foie gras de canard de 700 g
- > 1 dl de vin de Maury
- > 4 cl d'armagnac
- > 15 g de sel fin
- > poivre mignonnette
- > aromates
  1 brindille de thym
  2 feuilles de laurier
  3 feuilles d'origan
  2 feuilles de sauge

Débarrasser le foie de ses traces verdâtres, enlever sans le blesser le maximum de nerfs et de veines. ◆ Faire dégorger le foie deux heures dans de l'eau froide et bien l'essuyer. ◆ Masser doucement le foie avec l'armagnac, le laisser reposer quelques minutes, répéter la même opération avec le vin de Maury, saler et bien poivrer. ◆ Répartir une partie des aromates au fond de la terrine, verser la moitié du vin, installer le foie, disposer le reste des aromates et arroser avec la deuxième partie du vin, couvrir, laisser mariner au réfrigérateur au moins une nuit. ◆ Préchauffer le four (thermostat 5), introduire la terrine et la faire cuire au bain-marie, durant quinze minutes si vous aimez le foie mi-cuit, trente-cinq minutes seront nécessaires pour obtenir un foie à point. ◆ La cuisson doit se faire très lentement, l'eau du bain-marie ne doit jamais bouillir. ◆ Tasser le foie et le laisser quarante-huit heures au réfrigérateur avant de le consommer.
Vin conseillé : vin de Maury vieux.

Illustration en pages précédentes.

Pintade à la catalane

Pour 4 personnes

Parer et découper la pintade. ◆ Laver et éplucher les légumes, épépiner les tomates, les couper en dés ainsi que le jambon, mettre le tout dans une casserole, sucrer et laisser suer doucement environ trente minutes. ◆ Faire dorer les morceaux de pintade dans la poêle avec l'huile d'olive, les déposer sur du papier absorbant puis, dans la cocotte. ◆ Mixer la sauce, la mélanger avec le bouillon et en couvrir les morceaux de pintade, assaisonner, couvrir et laisser mijoter quarante minutes en compagnie du bouquet garni. ◆ Dans une petite casserole porter le vin à ébullition, arrêter le feu dès les premiers bouillons, le verser dans la cocotte quinze minutes avant la fin de la cuisson; au dernier moment ajouter le jus du citron et lier la sauce avec la farine maniée avec le beurre. ◆ Dresser, décorer avec des croûtons de pain grillés.

Vin conseillé : grand fitou.

> 1 pintade fermière
> 100 g de jambon de montagne
> 3 carottes, 2 oignons
> 1 blanc de poireau
> 400 g de tomates
> 1 citron
> 1 dl de vin de Banyuls
> 1 dl de bouillon de volaille corsé
> 1 bouquet garni (thym, laurier, origan, sauge, persil)
> 1 morceau de sucre
> 30 g de beurre
> 2 cuillères à soupe d'huile d'olive
> 1 cuillère à soupe de farine
> sel et poivre

Poulet au vieux rancio

Pour 6 personnes

- > 1 poulet prêt à cuire de 1,5 kg
- > 200 g de poitrine de porc fumée
- > 350 g de champignons de Paris
- > 100 d'olives noires
- > 12 petits oignons
- > 1 tomate
- > 1 bouteille de rancio
- > 30 cl de bouillon de poule
- > 50 g de beurre
- > 2 cuillères à soupe de farine
- > thym et laurier
- > tranches de pain de campagne
- > 2 gousses d'ail

Faire chauffer le beurre dans une cocotte, quand il est à point déposer les petits oignons épluchés et les lardons coupés en dés. ◆ Découper le poulet, fariner les morceaux, retirer les oignons et les lardons de la cocotte et faire dorer les morceaux de poulet dans leur jus, couvrir avec le rancio et le bouillon, ajouter le thym, le laurier et la tomate coupée et épépinée ; laisser mijoter trente minutes le couvercle entrouvert. ◆ Laver et équeuter les champignons, les faire dorer au beurre. Remettre dans la cocotte les oignons et les lardons, continuer la cuisson quinze minutes, introduire alors les champignons et les olives, couvrir, prolonger encore la cuisson durant quinze minutes. ◆ Retirer le thym et le laurier, dresser et servir aussitôt avec des tranches de pain grillé frottées à l'ail.

Vin conseillé : un vieux rancio.

CI-CONTRE

Ingrédients pour préparer le poulet au rancio.

DOMAINE LA TOUR VIEILLE
Collioure
Appellation Collioure Contrôlée
1989

Pigeons à la catalane

Pour 4 personnes

Faire chauffer le bouillon, y déposer les gousses d'ail épluchées et dégermées, laisser frémir huit minutes. ◆ Plumer, vider et trousser les pigeons, les saler à l'intérieur et les barder. ◆ Verser l'huile, ajouter 20 g de beurre dans une cocotte, faire chauffer et dorer les pigeons. Quand ils sont à point, adjoindre le jambon coupé en dés, les gousses d'ail, ainsi que l'orange et le citron coupés en tranches et épépinés, mouiller avec le vin et le fond de veau, bien poivrer mais peu saler. ◆ Aux premiers bouillons baisser le feu, couvrir et laisser mijoter doucement, retourner les pigeons de temps en temps, arrêter la cuisson au bout de trente minutes. ◆ Préparer la liaison, manier le beurre restant et la farine et la diluer avec le vinaigre. Retirer les pigeons de la cocotte, les tenir au chaud. Lier la sauce, passer la sauce au chinois. ◆ Dresser les pigeons sur le plat de service, les napper avec la sauce, décorer avec des tranches d'orange cannelées.

Vin conseillé : vin de Collioure.

- 2 pigeons
- 2 bardes
- 10 gousses d'ail
- 120 g de jambon de montagne
- 2 cuillères à soupe d'huile d'olive
- 40 g de beurre
- 20 cl de fond de veau
- 20 cl de vin blanc
- 1 orange + 1 pour le décor
- 1 citron
- 1 cuillère à soupe de farine
- 1 cuillère à soupe de vinaigre de vin
- 1 dl de bouillon de volaille
- sel et poivre

Cuissot de marcassin rôti

Pour 8 personnes

- > 1 cuissot d'environ 2 kg
- > 2 gros oignons
- > 4 gousses d'ail
- > 1 petit bouquet de persil
- > 1 branche de céleri
- > 4 feuilles de laurier
- > 1 branche de thym
- > origan et sauge
- > 1 verre d'huile
- > 1 dl de vinaigre

Pour la sauce

- > 30 g de beurre
- > 5 cl de vinaigre
- > 1 dl de bouillon corsé
- > 1 cuillère à soupe de crème fraîche
- > raisins secs
- > sel et poivre mignonnette

Déposer le cuissot dans un grand plat creux, le recouvrir avec les légumes coupés en julienne, l'ail et le persil hachés, les aromates, arroser avec l'huile et le vinaigre, saler, poivrer, laisser mariner trois jours dans le réfrigérateur au-dessus du bac à légumes et un jour à la température ambiante, après l'avoir recouvert d'un film alimentaire. ◆ Essuyer la viande, huiler un plat allant au four, installer la viande, l'introduire dans le four préchauffé (thermostat 7) durant quarante minutes. ◆ Tamiser les légumes de la marinade, recueillir le jus dans une casserole, disperser les légumes et les aromates autour de la pièce de viande. ◆ Préparer la sauce : faire bouillir et réduire le jus de la marinade, ajouter le vinaigre, la farine maniée avec le beurre, laisser frémir doucement dix minutes, ajouter les raisins secs en fin de cuisson, puis la crème fraîche. ◆ Le sanglier s'accommode parfaitement avec des pommes de terre et des châtaignes. ◆ Prendre cinq belles pommes, les éplucher, les évider, les citronner et les faire fondre doucement dans du beurre. ◆ Enlever la première peau des châtaignes (700 g environ), les faire bouillir quelques minutes dans de l'eau légèrement salée, retirer la deuxième peau et les faire dorer au beurre. ◆ Présenter le cuissot entouré des fruits, garnir l'évidement des pommes avec de la gelée de groseilles. ◆ Servir avec la sauce.
Vin conseillé : un grand corbières.

Civet de sanglier au fitou

Pour 8 personnes

Mettre la viande coupée en morceaux dans un plat creux, avec les légumes, l'ail et le persil grossièrement hachés (sauf les échalotes), le vinaigre, le sel, le poivre, couvrir avec le vin, laisser mariner au moins une nuit. ◆ Faire dorer dans une cocotte la ventrèche coupée en dés, retirer les lardons, essuyer les morceaux de viande et les saisir dans ce jus, les flamber à l'armagnac, les retirer, faire blondir les échalotes dans le jus restant, ajouter la persillade, deux cuillères à soupe de farine, un verre d'eau et bien remuer. ◆ Remettre les morceaux de sanglier dans la cocotte, les lardons, verser dessus le vin de la marinade tamisé; faire mijoter deux heures, le couvercle de la cocotte entrouvert, remuer de temps en temps. ◆ Lorsque la viande est cuite si la sauce vous paraît un peu longue, vous pouvez, après avoir retiré les morceaux, la faire réduire.

Vin conseillé : un grand fitou.

> 1,6 kg de viande de sanglier

> 1 bouteille de fitou

> 6 cl d'armagnac

> 2 oignons

> 3 gousses d'ail

> 250 g d'échalotes

> 350 g de ventrèche salée

> 2 carottes

> 3 feuilles de laurier

> 1 branche de thym

> 1/2 verre de vinaigre

> sel et poivre

> 2 cuillères à soupe de farine

Perdreaux cerdans aux morilles

Pour 3 personnes

- 3 perdreaux
- 125 g de morilles séchées
- 3 verres de rancio
- 10 cl de fond de veau
- 3 citrons
- 1 cuillère à soupe de concentré de tomates
- 2 cuillères à soupe d'huile
- 50 g de beurre
- 3 larges tranches de pain de campagne
- sel et poivre

Plumer, vider et trousser les perdreaux. ◆ Laver les morilles dans plusieurs eaux et les faire tremper quinze minutes. ◆ Dans une cocotte en fonte, faire chauffer l'huile et dorer les oiseaux sur tous les côtés, les retirer de la cocotte. ◆ Flamber le vin, le verser dans la cocotte, ainsi que le fond de veau et le concentré de tomates, porter à ébullition, réduire d'un tiers et redéposer les oiseaux, assaisonner, couvrir, baisser le feu. ◆ Faire sauter au beurre les morilles bien égouttées, les poser sur un papier absorbant, les ajouter au contenu de la cocotte avec le jus d'un citron, continuer la cuisson durant vingt minutes. ◆ Présenter les perdreaux sur des toasts frits au beurre et entourés de tranches de citron chaudes, nappés avec la sauce.

Vin conseillé : un vieux rancio.

Perdreaux à la catalane

Pour 4 personnes

- > 4 perdreaux
- > 60 cl de rancio
- > 20 gousses d'ail
- > 2 oranges amères
- > 1 citron
- > 2 cuillères à soupe de saindoux
- > 1 cuillère à soupe de farine

Parer les perdreaux. ◆ Chauffer et flamber le vin. ◆ Déposer le saindoux dans une cocotte, quand il est chaud, dorer les oiseaux sur tous les côtés, les saupoudrer avec la farine, remuer, mouiller avec le vin, saler, poivrer, laisser mijoter à feu très doux. ◆ Mettre dans une casserole les gousses d'ail épluchées et dégermées, les oranges découpées en fines tranches, les couvrir avec un litre d'eau, porter à ébullition, égoutter et recommencer l'opération mais avec seulement un décilitre d'eau, retirer les condiments et laisser réduire de moitié le jus de cuisson. ◆ Verser le tout dans la cocotte ainsi que le jus de citron. ◆ Laisser cuire jusqu'à ce que la chair des oiseaux soit tendre. Dresser les perdreaux sur le plat de service, nappés avec la sauce et entourés des aromates.
Vin conseillé : un rancio.

PAGES SUIVANTES

Les tours de Carol.

Cailles grillées au feu de bois

Pour 4 personnes

- > 4 cailles
- > 2 cuillères à soupe d'huile d'olive
- > 1/2 piment frais ou sec
- > 1 oignon de Toulouges
- > 2 gousses d'ail
- > fines herbes (thym, sauge, origan)
- > sel et poivre

Parer les cailles, les ouvrir et les aplatir. Badigeonner les oiseaux avec l'huile d'olive. Éplucher l'ail et l'oignon, les hacher avec le piment. Répartir le hachis et les aromates sur les oiseaux, les couvrir et les laisser mariner au frais au moins une nuit. Essuyer les oiseaux, saler et poivrer des deux côtés, recouvrir le gril d'une feuille d'aluminium, le déposer sur un lit de braise, installer les cailles, puis les retourner. Le temps de cuisson dépend de l'intensité du feu, vingt-cinq minutes environ. Les servir aussitôt sur des assiettes chaudes.

Lapin à la catalane

Pour 6 personnes

Temps de cuisson : 55 minutes

Découper le lapin en morceaux et les faire dorer dans une sauteuse avec l'huile d'olive. Retirer les morceaux de lapin et les mettre en réserve. Faire roussir la ventrèche coupée en dés, les poivrons épépinés et débités en fines lanières. Quand ils sont à point, ajouter les tomates et l'ail concassés. Faire mijoter dix minutes. Ajouter le vin, le bouillon, les aromates, remettre les morceaux de lapin, saler et poivrer. Laisser frémir quarante minutes.
Vin conseillé : côtes-du-roussillon-villages.

> 1 lapin de 1,6 kg environ
> 250 g de ventrèche
> 4 tomates
> 3 oignons
> 3 gros poivrons verts
> 3 gousses d'ail
> 1 bouquet garni (thym, romarin, origan)
> 15 cl de vin blanc sec
> 15 cl de bouillon
> 2 cuillères à soupe d'huile d'olive
> sel et poivre

Les desserts

Poires au fitou

Pour 6 personnes

> 8 grosses poires
> 1 bouteille de fitou
> 125 g de sucre en poudre
> 2 bâtons de cannelle
> 1 gousse de vanille

À faire la veille. ◆ Éplucher les poires mais conserver la queue, les installer dans une cocotte, les sucrer, les couvrir avec le vin, ajouter la cannelle et la gousse de vanille fondue dans le sens de la longueur; déposer la cocotte sur un feu très doux, ou dans le four (thermostat entre 4 et 5), laisser frémir durant trois heures. ◆ Dresser les poires sur le plat de service, réduire le jus de cuisson si nécessaire et napper les poires. Servir avec de la crème chantilly et des tuiles aux amandes. ◆ Vous pouvez remplacer les poires par des pêches et les parsemer d'amandes effilées et grillées.

Pommes au vin de Collioure

Pour 6 personnes

Éplucher et vider les pommes. ◆ Verser le vin dans une cocotte, ajouter le sucre et les aromates, l'amener à ébullition, déposer délicatement les pommes, les laisser pocher doucement quinze minutes. Laisser refroidir les pommes dans le vin. ◆ Essuyer les pommes, les ranger dans le plat de service, les saupoudrer de sucre glace, brûler ce sucre avec une tige en fer rougie au feu. ◆ Réduire le vin de cuisson jusqu'à ce qu'il ait la consistance d'un sirop et le verser autour des pommes.

- > 6 belles pommes
- > 1 bouteille de vin de Collioure
- > 150 g de sucre en poudre
- > 1 bâton de cannelle
- > 1 gousse de vanille
- > 100 g de sucre glace

PAGES SUIVANTES

Perpignan.

Bras de gitan

Pour 6 personnes

> 125 g de farine
> 125 g de sucre
> 5 œufs
> 1 citron
> sucre glace

Pour la crème

> 125 g de sucre
> 4 jaunes d'œufs
> 1/2 litre de lait
> 75 g de farine
> 1 gousse de vanille
> 1 pincée de cannelle

Travailler dans une terrine les jaunes d'œufs, le sucre, et le zeste de citron finement râpé, jusqu'à ce que le mélange fasse ruban. ◆ Battre les blancs en neige de façon à ce qu'ils soient très fermes, les incorporer au ruban, ajouter la farine en mélangeant délicatement avec une cuillère en bois. ◆ Préchauffer le four (thermostat 7), préparer une plaque en la recouvrant de papier sulfurisé bien beurré et fariné, étendre la pâte sur un demi-centimètre d'épaisseur; introduire dans le four, dix minutes de cuisson seront nécessaires. ◆ Renverser le biscuit sur un torchon humide, étendre la crème froide, rouler vivement et saupoudrer de sucre glace. ◆ Avec une décoration idoine, ce gâteau léger et parfumé devient une savoureuse bûche de Noël. ◆ Crème pâtissière: faire infuser la gousse de vanille dans le lait. ◆ Blanchir dans la casserole qui servira à la cuisson de la crème, les jaunes d'œufs et le sucre; quand le mélange est mousseux et blanc, incorporer la farine, délayer le tout avec le lait bouillant, ajouter la pincée de cannelle. Cuire la crème en la tournant avec un petit fouet, jusqu'à ce qu'elle épaississe. ◆ Pour épaissir, cette crème doit bouillir, sinon la farine ne cuirait pas, il n'y a aucun danger de la voir tourner.
Vin conseillé : un rancio ou un maury.

La crème catalane (créma crémada)

> 1 l de lait
> 8 œufs
> 4 cuillères à soupe de sucre en poudre + 3 pour le caramel
> 1 zeste de citron râpé
> 1 bâton de cannelle
> 1 pincée de sel

Faire infuser le bâton de cannelle dans le lait et le porter à ébullition. Râper le zeste de citron dans une casserole, ajouter le sucre, la farine et les jaunes d'œufs, agiter avec un petit fouet jusqu'à obtenir un mélange blanc et mousseux, incorporer doucement le lait et bien amalgamer. ◆ Déposer la casserole sur le feu, faire cuire lentement en remuant, arrêter la cuisson dès que la crème est épaisse. ◆ Verser la crème dans un compotier, laisser refroidir. Étaler le sucre sur toute la surface de la crème et brûler avec une tige rougie au feu (cheminée ou barbecue).

Vin conseillé : un banyuls.

Illustration en pages précédentes.

Flan à l'anis

Pour 8 personnes

> 1 l de lait
> 6 œufs
> 150 g de sucre en poudre
> 5 cl d'anisette Ricard
> 1 gousse de vanille

Mettre la gousse de vanille dans le lait et l'amener à ébullition. Battre ensemble les œufs et le sucre. Mélanger les deux appareils et aromatiser avec l'anisette. ◆ Préchauffer le four (thermostat 7). Cuire le flan au bain-marie durant vingt minutes. ◆ Servir avec une crème anglaise et des tuiles aux amandes.

Vins conseillés : muscat, rivesaltes ou anisette.

Recette de Jean-Charles Sin, Buffet de la Gare à Perpignan.

Touron de Perpignan

Verser le sucre et le miel dans un grand faitout, remuer vigoureusement avec une forte spatule jusqu'à épaississement; quand la pâte forme la perle, la retirer du feu. ◆ Monter les blancs en neige et les mélanger à la pâte, remettre le tout sur le feu, quand la pâte a épaissi en prélever une petite partie avec une cuillère en bois, l'étendre sur un marbre, laisser refroidir; si la pâte casse elle est cuite, ajouter alors les noisettes et bien amalgamer le tout. ◆ Verser le mélange sur un marbre ou à défaut une table bien lavée et bien séchée; recouvrir avec des feuilles d'hostie et presser fortement.

> 1 kg de miel

> 1 kg de sucre en poudre

> 1 kg de noisettes émondées

> 2 blancs d'œufs

> feuilles d'hostie

PAGES SUIVANTES

Panorama depuis Bages et son étang.

Table des matières

Les poissons

Abats et viandes

Volailles et gibiers

Les desserts

Crédit photographique

Patrick Bernière : p. 29.

Bernard Claustres : p. 6, 8, 12-13, 16-17, 22-23, 26-27, 30-31, 37-40, 44-45, 46, 52-53, 55, 56-57, 61, 62-63, 65, 66, 69, 70-71, 73, 75, 77, 78-79, 83, 84, 87, 88, 91, 92-93, 95, 97, 98, 101, 102, 104, 106-107, 110-111, 114-115, 117, 118-119.

Agnès Jacquet : p. 24.

Pacal Moulin : p. 4, 10-11, 34-35, 48-49, 122-123.

Claude Prigent : p. 3.